まちごとインド
北インド022

カージュラホ
小さな村に残る「性愛の芸術」
［モノクロノートブック版］

JN121891

北インドと南インドとの接点に位置するマディヤ・プラデーシュ州北部の小さな村に残るカージュラホの建築群。上昇性の高いシカラをもつ寺院、その外壁を覆い尽くすように刻まれた男女が交わるミトゥナ像などの彫刻はヒンドゥー美術の傑作として知られる。

　ここカージュラホは、北インド、デカン、西インドに興った王朝のはざまにあたり、中世、このあたりに覇をとなえたチャンディラ朝（ラージプート系王朝）の都がおかれていた。10〜12世紀にかけて85とも言われる寺院が

造営され、現在、そのうちの25の寺院が姿を見せている。

　中世以降、北インドはイスラム勢力などの侵攻を受けたために、多くのヒンドゥー王朝がその軍門にくだっていった。かつてカルジューラ・ヴァーハカと呼ばれていたこの都も忘れ去られ、19世紀になって「発見」されたときには小さな村が残るばかりとなっていた。それゆえにオリッサとならぶ北方型ヒンドゥー寺院の最高峰の建築を今に伝えている。

「アジア城市（まち）案内」制作委員会
まちごとパブリッシング

まちごとインド｜北インド 022｜

カージュラホ

小さな村に残る「性愛の芸術」

Asia City Guide Production
North India 022

Khajuraho

खजुराहो

Contents

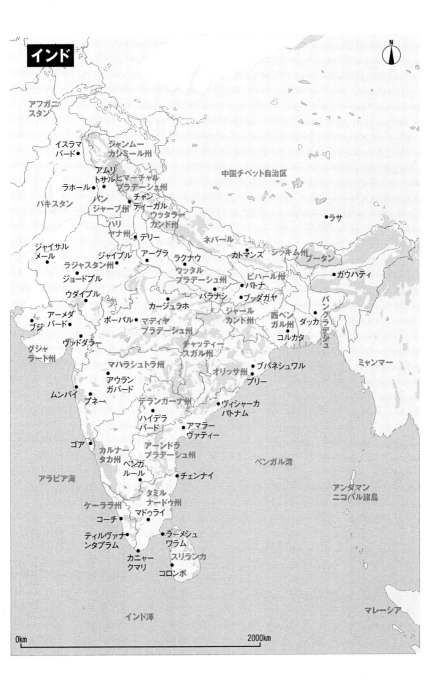

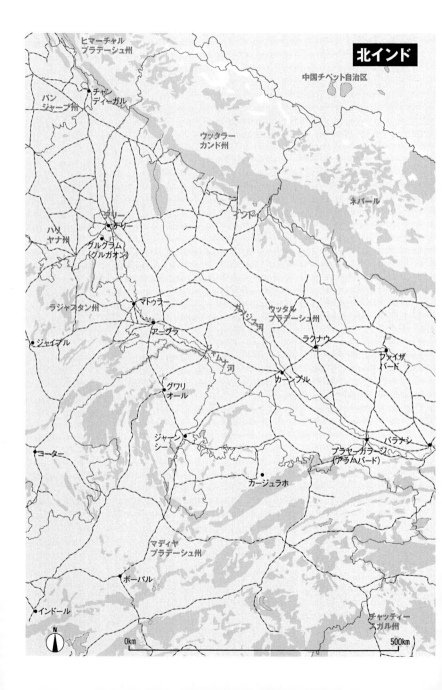

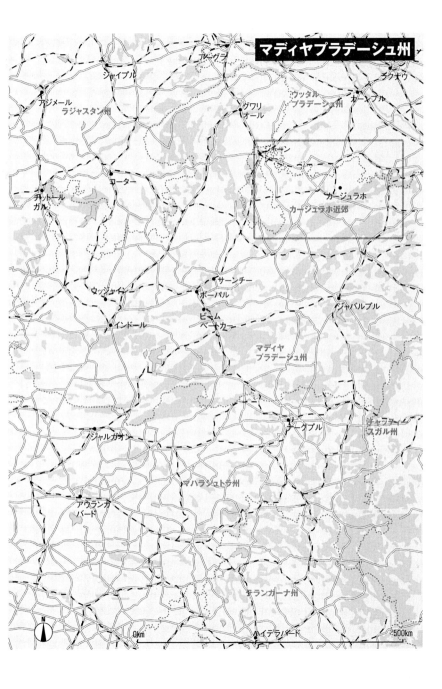

マディヤプラデーシュ州

インド美術の最高傑作

ガンジス平原からデカン高原へと
移っていくマディヤ・プラデーシュ州
その小さな村カージュラホに残る傑作寺院群

エロティックな彫刻

　カージュラホの寺院建築の壁面を埋め尽くすエロティックな彫刻群。ミトゥナ像(「性的結合」を意味する)と呼ばれる男女が抱擁し、交わる官能的な様子が描かれている。インドではカーマ(性愛)は、アルタ(実利)、ダルマ(法)とならんで追求されるものだと考えられてきた。その経典『カーマ・スートラ』には性交、処女との交渉、妻女、人妻、遊女、秘法などをテーマに、抱擁や接吻の種類、地方の慣習、特殊な性交などについて記してある。シヴァ神そのものと見られるリンガ(男性器)やヨーニ(女陰)が信仰対象になるなど、ヒンドゥー教では、男性と女性の交わりで生まれる生命、その力(性力)が重視されてきた。

カージュラホの寺院群

　カージュラホの建築群は、この村を越えて東西2km南北3kmの21平方kmに広がっている(チャンディラ朝の都は現在の村よりも大きな規模だった)。このなかで沐浴池シヴァ・サーガルのそばに位置する西群に規模、内容ともに秀でた13寺院が残る。またジャイナ教寺院をはじめとする7寺院が残る東群、小さな寺院がふたつ残るだけの南群の3つのグ

ループに大きくわけられる。これらの寺院は10〜12世紀にかけて断続的に建てられたが、ケン川東岸のパンナの石切場から切り出された石材を使い、異なる宗教建築にあっても様式が統一されている（一部、花崗岩が使われ、ほかは砂岩がもちいられる）。

ヒンドゥー寺院の構成

　高い基壇と遊歩道を備えた様式をもつカージュラホの建築群。太陽がのぼる東側に向けて建てられている。もっとも完成された寺院では、十字型を組みあわせた平面プランをもち、基壇の四隅にシカラを配し、その中央に大きなシカラをもつ五塔様式となっている。またエントランスポーチ（玄関）、アンタラーラ（前室）、マハーマンダパ（拝室）、ガルバグリバ（聖室）と徐々に屋根が高くなりながら後方へつながる上昇性をもつ。神像やリンガのまつられたガルバグリバには巡礼者が右回りにまわる回廊（繞道）があり、もっとも高いシカラが載っている。

神々の棲むシカラ

　高い屋根シカラはヒンドゥー寺院を彩る特徴のひとつで、神々の棲むヒマラヤが表現されている（世界の中心と考えられている須弥山ことメール山、シヴァ神が棲むカイラスなどシヴァ神、ヴィシュヌ神などの神々がヒマラヤに棲むとされる）。とくにカージュラホ建築の屋根は小さなシカラが積み重なるようにして中心に向かって高くなっていくインド北方型の代表となっている。南インドなどで見られる南方型の本殿の屋根はピラミッド型で、周囲四方にゴプラと呼ばれる巨大な楼門をもっている。

（カージュラホ西群の
カンダーリヤ・マハーデヴァ寺院）
『インドの仏蹟とヒンドゥー寺院』
（中村元編/講談社）掲載図をもとに作成

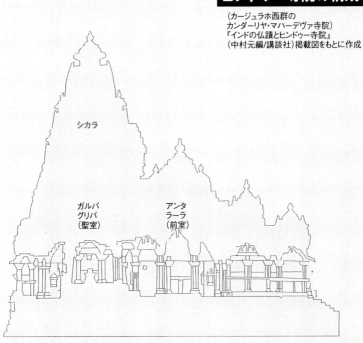

シカラ

ガルバ
グリバ
(聖室)

アンタ
ラーラ
(前室)

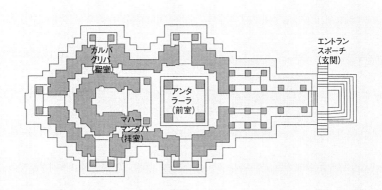

ガルバ
グリバ
(聖室)

アンタ
ラーラ
(前室)

マハー
マンダパ
(拝室)

エントラン
スポーチ
(玄関)

特異なポーズの男女の交わりが刻まれている

びっしりと彫刻がほどこされた壁面

カージュラホの子どもたち

屋根にあたるシカラはヒマラヤの峰々がイメージされている

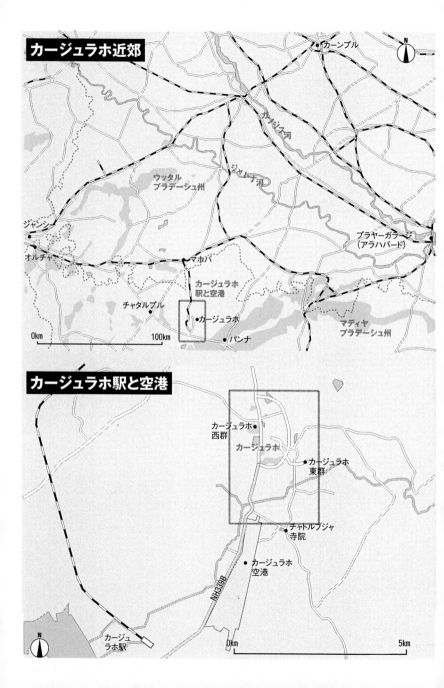

カージュラホ近郊

N

カーンプル

ガンジス河

ウッタル
プラデーシュ州

ジャムナ河

ジャンシ

プラヤーガラージ
（アラハバード）

オルチャ

マホバ

カージュラホ
駅と空港

チャタルプル

カージュラホ

0km   100km

バンナ

マディヤ
プラデーシュ州

カージュラホ駅と空港

N

カージュラホ
西群

カージュラホ

カージュラホ
東群

チャトルブジャ
寺院

NH339B

カージュラホ
空港

0km   5km

カージュ
ラホ駅

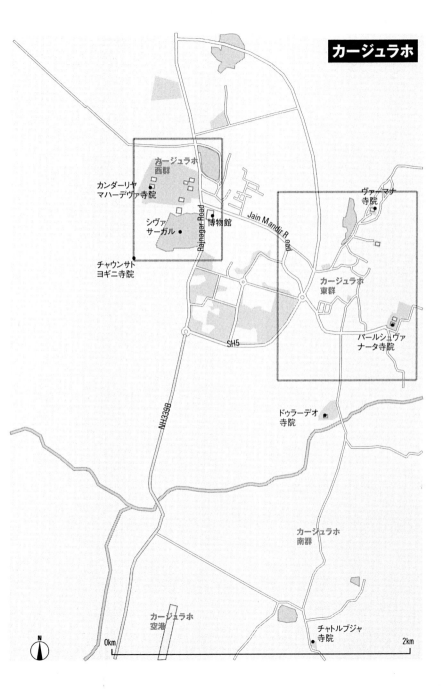

カージュラホ

カージュラホ
西群

カンダーリヤ
マハーデヴァ寺院

シヴァ
サーガル

博物館

Jain Mandir Road

Rajnagar Road

チャウンサト
ヨギニ寺院

ヴァーマナ
寺院

カージュラホ
東群

パールシュヴァ
ナータ寺院

SH5

NH339B

ドゥラーデオ
寺院

カージュラホ
南群

カージュラホ
空港

チャトルブジャ
寺院

N

0km   2km

カージュラホ／小さな村に残る「性愛の芸術」

愛の営みが彫られた意匠
神々の棲むヒマラヤを思わせる寺院群
インド美術の最高傑作がここに

西群 ★★★
Western Group ／ⓣ पश्चिमी समूह

　カージュラホのなかでも規模、保存状態ともによいの
が西群で、神々の棲むヒマラヤに見立てたシカラをもつ
ヒンドゥー寺院、その壁面に装飾されたエロティックな
男女のミトゥナ像などの傑作彫刻が残る。「天なる父(男)」
と「大地の母(女)」が交わることで生命が育まれると考え
られ、豊穣を生む力は性力(シャクティ)として信仰されて
きた。カージュラホ西群には男女の性に関する経典『カー
マ・スートラ』を映すように、神と神妃が交わる様子はじ
め、豊満な身体をくねらせる女性、恋文を書く女性など官
能的な表現が見られる。

カンダーリヤ・マハーデヴァ寺院 ★★★
Kandariya Mandir ／ⓣ कंदरिया महादेव मंदिर

　カージュラホに寺院が建立されていくなか、その絶頂
期の11世紀に建てられたのがカンダーリヤ・マハーデ
ヴァ寺院。中央に向かって84の小さなシカラが伸びあ
がっていき、聖室のうえには高さ30.5mの大きなシカラ
が載る。この寺院内部には226体、外部壁面には648体の
彫像が彫られ、とくに外壁を彩る男女が交わるミトゥナ
像は高い芸術性を見せている。カージュラホの寺院の多

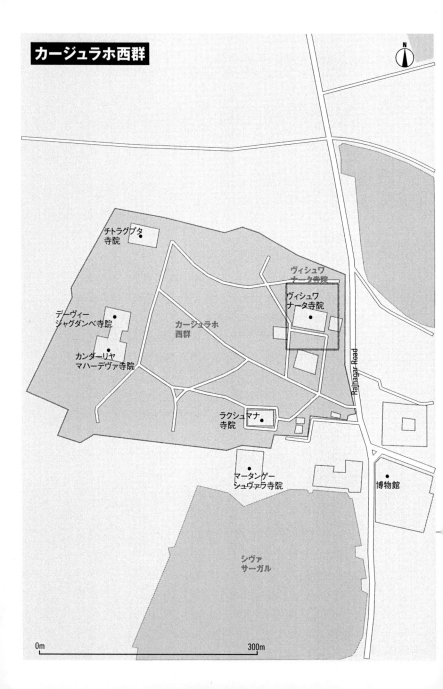

カージュラホ西群

N

チトラグプタ
寺院

ヴィシュワ
ナータ寺院

ヴィシュワ
ナータ寺院

デーヴィー
ジャグダンベ寺院

カージュラホ
西群

カンダーリヤ
マハーデヴァ寺院

Rajnagar Road

ラクシュマナ
寺院

マータンゲー
シュヴァラ寺院

博物館

シヴァ
サーガル

0m   300m

くがヴィシュヌ神に捧げられているなかで、この寺院は
シヴァ神を意味するリンガがまつられていて、寺院全体
がシヴァ神の棲むカイラスを彷彿とさせる。11世紀、当
時、北インドで最高の権力を誇っていたチャンディラ朝
ヴィディヤーダラ王によるものとされる。

男女が交わる美しき彫刻

　カンダーリヤ・マハーデヴァ寺院の外壁には、三層に
なった高さ80cmほどの枠に、くまなく彫刻が彫られてい
る。目をひくのが性の経典『カーマ・スートラ』でも描かれ
ている、さまざまな体位で交わる男女のミトゥナ像で、豊
かな女性の乳房やお尻はヒンドゥー美術の最高峰の表現
とされる。またそのほかにも『恋文を書く女性』『自分の胸
を愛撫する女性』『化粧する女性』などさまざまな表情を
もつ彫像が彫られている。

ヴィシュワナータ寺院 ★★☆
Vishwanatha Mandir ⓔ विश्वनाथ मंदिर

　チャンディラ朝の全盛期にあたる1002年に建てられ
たヴィシュワナータ寺院。前室から聖室へ向かって高く
なっていくシカラ、壁面を彩るエロティックな彫刻(ラク
シュミーの背後から手をまわして胸に触れようとするヴィシュヌ神)な
ど、カージュラホ建築の基本様式を備えている。この時代
に東群のパールシュヴァナータも建てられたと見られ、

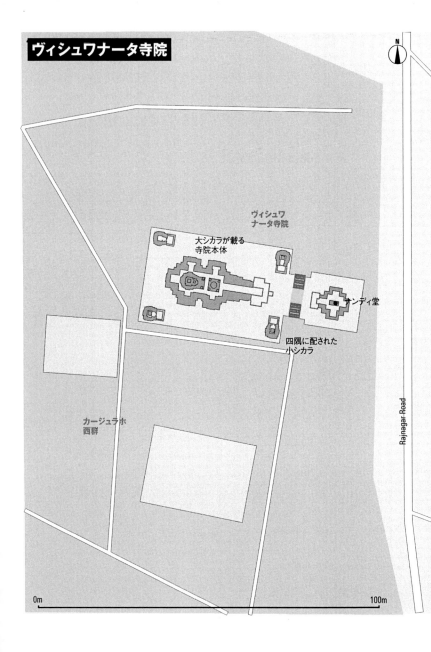

ヴィシュワナータ寺院

N

ヴィシュワ
ナータ寺院

大シカラが載る
寺院本体

ンディ堂

四隅に配された
小シカラ

カージュラホ
西群

Rajnagar-Road

0m   100m

カンダーリヤ・マハーデヴァ寺院へ続くカージュラホ様
式が完成を迎えている。本尊にはヴィシュヌ神がまつら
れていて、この寺院と向かいあうように、ナンディ堂が立
つ(ナンディはヴィシュヌ神の乗りもの)。

チトラグプタ寺院 ★☆☆
Chitragupta Mandir／ⓣचित्रगुप्त मंदिर

　カンダーリヤ・マハーデヴァ寺院の北側に立つチトラ
グプタ寺院。規模は大きいが聖室に巡礼のための回廊が
ない様式となっている。本尊には太陽神スーリヤがまつ
られている。

ラクシュマナ寺院 ★☆☆
Laksamana Mandir ⓣलक्ष्मण मंदिर

　「ヒマラヤの峰々に匹敵する壮麗なヴィシュヌの住居」
とたとえられていたラクシュマナ寺院。西群寺院のなか
で最初期の954年にヤショーヴァルマン王に建立された
と見られ、基壇四隅にシカラ、中央に大シカラの立つ五塔
様式となっている。顔の左右に野猪と獅子、背面に悪魔の
顔をもつ四面ヴィシュヌを本尊とするほか、寺院の北側
壁には傑作ヒンドゥー美術『鏡を手にする女性』が見られ
る。

マータンゲーシュヴァラ寺院 ★☆☆
Matangeshwara Mandir／ⓣमतंगेश्वर मंदिर

　西群建築群の敷地のすぐ外に立つマータンゲーシュ
ヴァラ寺院。高さ2.5mの巨大なリンガ(シヴァ神)がまつ
られ、現在も参拝対象となっている。装飾があまりなく、

★★★
西群 *Western Group*
★★☆
ヴィシュワナータ寺院 *Vishwanatha Mandir*

手前に見えるのがデーヴィージャグダンベ寺院

カージュラホの中心に位置するシヴァ・サーガル

男女が交わるエロティックな彫刻

カンダーリヤ・マハーデヴァ寺院はヒンドゥー建築の傑作

カージュラホ様式が確立されるまでの10世紀はじめの建立とされる。またこの寺院の向かいには、ヴィシュヌ神の化身ヴァラーハ（猪）をまつったヴァラーハ寺院が立つ。

チャウンサト・ヨギニ寺院 ★☆☆
Chausath Yogini Mandir／ⓗ चौसठ योगिनी मंदिर

　西群から少し離れた丘のうえに立つチャウンサト・ヨギニ寺院。900年ごろの建立とされ、カージュラホの寺院建築はこの寺院からはじまったと考えられる。中庭の周囲に小さな祠堂をもち、それぞれカーリー女神の従者であるヨギニの像がおかれていた（現在は大部分、破壊の憂き目にあっている）。

博物館 ★☆☆
Museum／ⓗ संग्रहालय

　カージュラホ西群の前を走る道路をはさんで向かいに立つ小さな博物館。イスラム教徒の侵入で破壊された壁面彫刻などが展示されている。

ヴィシュワナータ寺院の本体

イスラム勢力の侵入による破壊のなか、カージュラホには中世以来のヒンドゥー寺院が残った

バス停で出逢った子どもたち

「壮麗なヴィシュヌの住居」ラクシュマナ寺院

東群鑑賞案内

カージュラホ建築最高峰のひとつパールシュヴァナータ寺院
この寺院は、ヒンドゥー教ではなくジャイナ教のもの
それは寛大なチャンディラ朝の性格を示すのだという

東群 ★★☆
Eastern Group／ⓔ पूर्वी समूह

　カージュラホ西群近くに小さな村がたたずむが、寺院が建てられたチャンディラ朝時代の都は、今の村よりもはるかに大きなものだったようで遺跡は東群、南群などに点在している。

パールシュヴァナータ寺院 ★★☆
Parshvanatha Mandir　ⓔ पार्श्वनाथ मंदिर

　ヒンドゥー寺院がならぶカージュラホにあって、ジャイナ教の祖師に捧げられたパールシュヴァナータ寺院（ジャイナ教ではマハーヴィラをふくめて24人の祖師がいるとされ、パールシュヴァナータは23代目）。本尊には黒大理石製のパールシュヴァナータ像がまつられていて、チャンディラ朝時代にヒンドゥー教とならんでジャイナ教が信仰されていたことをよく伝えている。10世紀なかごろの建立と見られ、その様式は他のカージュラホのヒンドゥー寺院と変わらず、東部で屈指の芸術性を誇る。とくに『恋文を書く女性』の彫刻はインド美術の傑作にあげられる。

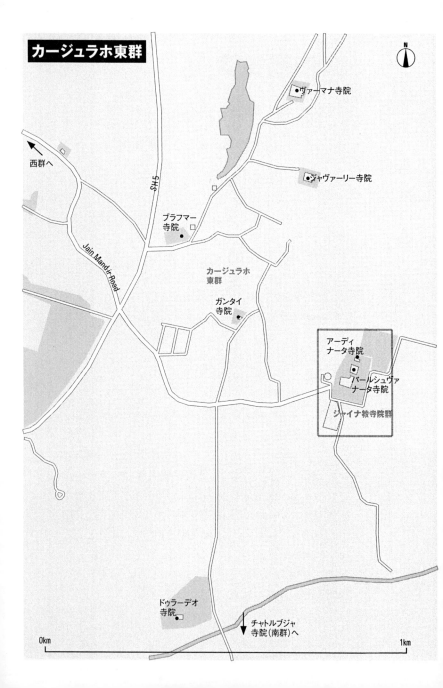

カージュラホ東群

●ヴァーマナ寺院

●ジャヴァーリー寺院

西群へ

SH5

Jain Mandir Road

ブラフマー
寺院

カージュラホ
東群

ガンタイ
寺院

アーディ
ナータ寺院

パールシュヴァ
ナータ寺院

ジャイナ教寺院群

ドゥラーデオ
寺院

チャトルブジャ
寺院（南群）へ

0km   1km

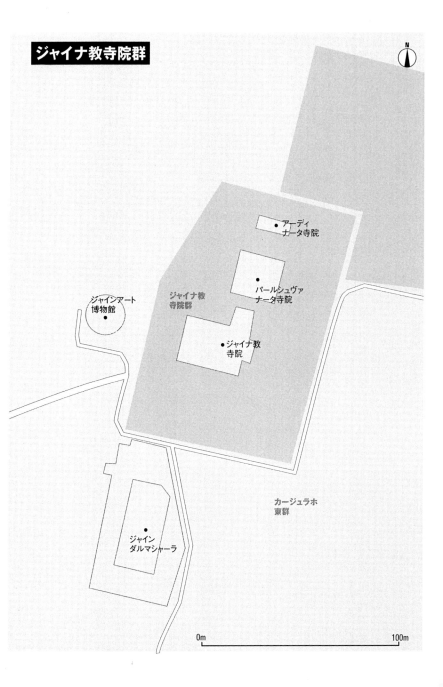

アーディナータ寺院 ★☆☆
Adinatha Mandir ／ ⓔ आदिनाथ मंदिर

　パールシュヴァナータ寺院と同じくジャイナ教の初代祖師アーディナータがまつられたアーディナータ寺院。11世紀の建立で、複合的な様式をとらず、聖室のうえに細いシカラが立っている。

ガンタイ寺院 ★☆☆
Ghantai Mandir ⓔ घंटाई मंदिर

　パールシュヴァナータ寺院の西に立つガンタイ寺院。寺院の大部分が破壊され、むき出しの状態で、柱と屋根が残る。かつては大規模なジャイナ教寺院だったという。

ブラフマー寺院 ★☆☆
Brahma Mandir ／ ⓔ ब्रह्मा मंदिर

　池のほとりに立つブラフマー寺院。カージュラホ様式が確立される以前の10世紀はじめの建立と見られ、単室の堂にピラミッド状のシカラが載る。

ジャヴァーリー寺院 ★☆☆
Javari Mandir ／ ⓔ जावरी मंदिर

　高い基壇のうえにほっそりとした本体が載るジャヴァーリー寺院。11世紀の後半に建てられたと見られ、壁面に精緻な彫刻がほどこされている。

カージュラホ／小さな村に残る「性愛の芸術」

★★☆
東群 *Eastern Group*
パールシュヴァナータ寺院 *Parshvanatha Mandir*
★☆☆
アーディナータ寺院 *Adinatha Mandir*
ガンタイ寺院 *Ghantai Mandir*
ブラフマー寺院 *Brahma mandir*
ジャヴァーリー寺院 *Javari Mandir*
ヴァーマナ寺院 *Vamana Mandir*
ドゥラーデオ寺院 *Duladeo Mandir*

東群近くの学校、バクシーシをせがまれることも

平原が続くカージュラホ郊外

素足の子どものどかな村の様子

東群、南群へはリキシャが便利

ヴァーマナ寺院 ★☆☆
Vamana Mandir ⓣ वामन मंदिर

　カージュラホ東群の北側に位置するヴァーマナ寺院。ヴァーマナはヴィシュヌ神の化身の小人で、たった三歩で世界をまたいだと伝えられる。

ドゥラーデオ寺院 ★☆☆
Duladeo Mandir ⓣ दुल्हादेव मंदिर

　ジャトカリー村の西南に位置するドゥラーデオ寺院(南群)。チャンディラ朝末期(12世紀前半)のもので、シヴァ神をまつる。寺院内部に彫刻が見られるが、外壁は損傷している。

チャトルブジャ寺院 ★☆☆
Chatrubja Mandir／ⓣ चतुर्भुज मंदिर

　ドゥラーデオ寺院のさらに南側、川を渡ったところに立つチャトルブジャ寺院。寺院は前室と聖室が残る小規模なもので、高さ2.7mのヴィシュヌ立像が安置されている。

Tsuki No Koibito To
月の恋人とチャンディラ朝

月の神から生まれたというチャンディラ朝の王統
世界的にも稀有な
エロティック彫刻を残している

チャンディラ朝の誕生

　ある夏の夜、16歳になった美しい娘ヘマワティは、高揚を感じて眠れなかったため、蓮の池で水浴していた。するとそこへヘマワティの美しさにひかれて月の神(チャンドラマ)が地上に降りてきて、娘に愛をささやいた。ふたりは一夜をともにしたが、朝、別れることになり、月の神は「カルナヴァティ河の岸で子が生まれ、マホーバで育ち、王になるだろう」という予言を残した。その予言通りに子どもが生まれ、「月」を意味するチャンドゥヴァルマンと名づけられた。こうして娘ヘマワティはチャンディラ朝の女祖となり、王はカージュラホに寺院を建て、そのまわりに湖や庭をつくったのだという。

中央インドの覇者

　チャンディラ家はもともとプラティハーラ朝に仕える諸侯だったが、第7代のヤショーヴァルマン王が925年に即位すると、勢力を広げて独立することになった(系譜では9世紀前半のナンヌカ王を祖とする)。こうして東方のパーラ朝やデカンのラーシュトラクータ朝などの各勢力がせめぎあうなか、チャンディラ朝はマホーバ(カージュラホの北100km)

やカージュラホを中心に覇をとなえた。この王朝はイスラム勢力の侵入を受けるなかで13世紀には衰え、小さな勢力となって16世紀まで命脈をたもった。

女性原理の崇拝、タントラ

　カージュラホに寺院が建立された10〜12世紀は、タントラ派と呼ばれるヒンドゥー教宗派が盛んになっていた(8世紀ごろより勢力が強くなった)。タントラではシヴァ神の妃ドゥルガー女神やカーリー女神が信仰され、とくに生命を育む大地母神の女性原理、性力(シャクティ)が崇拝対象となった。タントラはインドの民間信仰に深く根づいていたもので、特定の宗派に関わらず、ヒンドゥー教、仏教などにその影響が見られる。とくに密教ではタントラが積極的にとり入れられ、チャンディラ朝と同時代に東インドを統治したパーラ朝の統治下からタントラ密教がチベットへ伝わっている。

子どもの髪を親が散髪していた　　　ヒンドゥー教では石で寺院を建設し、神々の像で飾りたてた

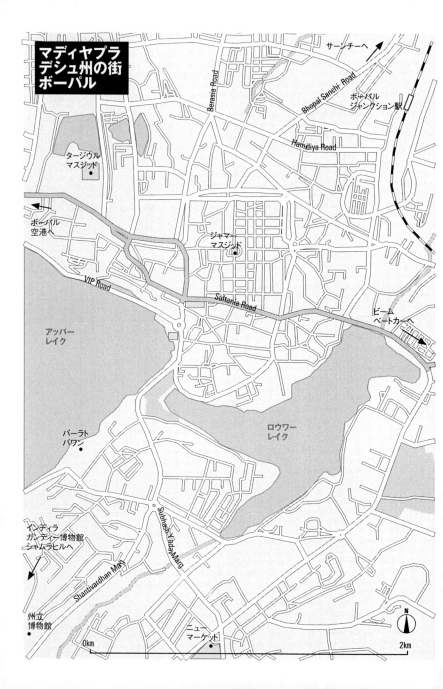

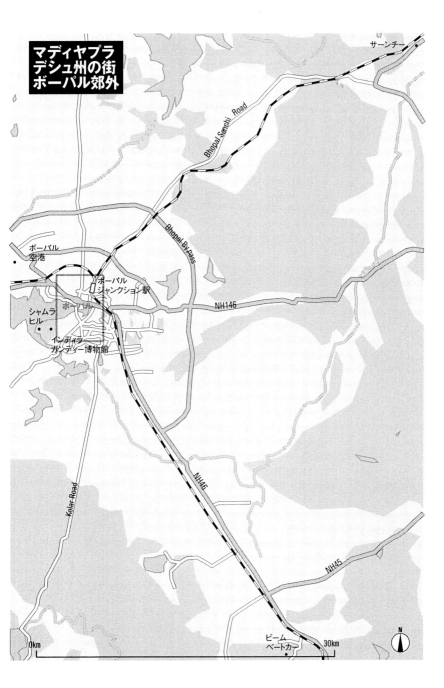

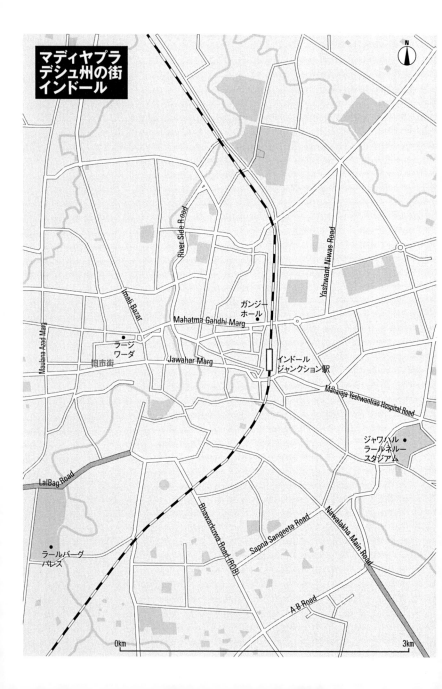

マディヤプラ
デシュ州の街
インドール

N

River Side-R oad

Imali Bazar

Yashwant Niwas Road

Maulana Azad Marg

ガンジー
ホール

Mahatma Gandhi Marg

ラージ
ワーダ

旧市街

Jawahar Marg

インドール
ジャンクション駅

Maharaja Yeshwantrao Hospital Road

ジャワハル
ラールネルー
スタジアム

LalBag Road

Bhawarkuwa Road (ROB)

Sapna Sangeeta Road

Natwalakha Main Road

ラールバーグ
パレス

A B Road

0km   3km

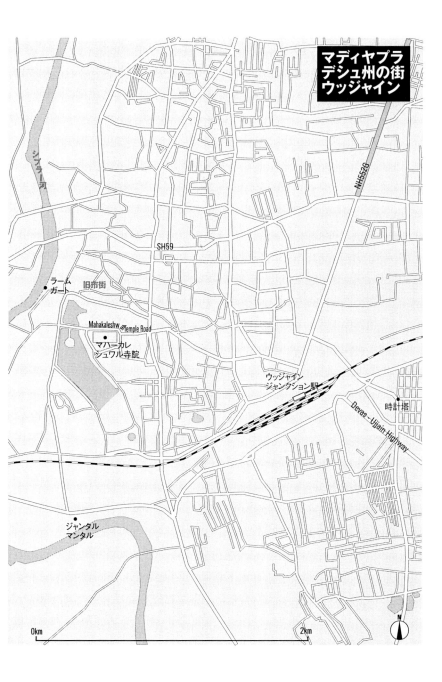

マディヤプラ
デシュ州の街
ウッジャイン

シプラー河

NH52G

SH59

ラーム
ガート

旧市街

Mahakaleshw Temple Road

マハーカレ
シュワル寺院

ウッジャイン
ジャンクション駅

時計塔

Devas - Ujjain Highway

ジャンタル
マンタル

0km

2km

N

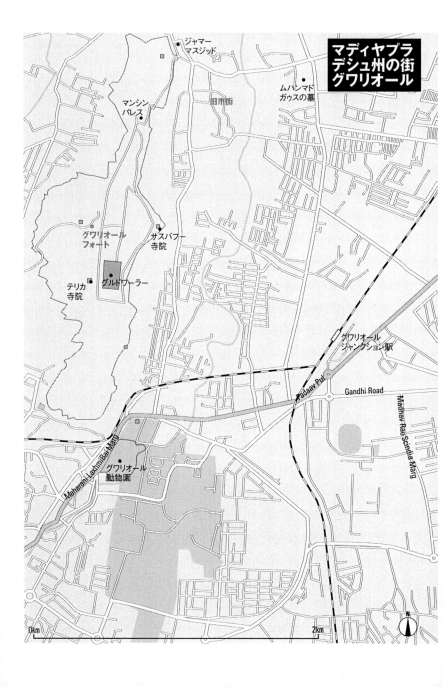

マディヤプラ
デシュ州の街
グワリオール

ジャマー
マスジッド

ムハンマド
ガウスの墓

マンシン
パレス

旧市街

グワリオール
フォート

サスバフー
寺院

グルドワーラー

テリカ
寺院

グワリオール
ジャンクション駅

Padaav Puri

Gandhi Road

Maharani Laxhmi Bai Marg

Madhav Rao Scindia Marg

グワリオール
動物園

0km

2km

N

参考文献

『芸術新潮古代美術館25カジュラホ』(前田常作/芸術新潮)

『世界美術大全集東洋編インド』(小学館)

『北インドの建築入門』(佐藤正彦/彰国社)

『インド建築案内』(神谷武夫/TOTO出版)

『ヒンドゥー教史』(中村元/山川出版社)

『インド美術史』(宮治昭/吉川弘文館)

『完訳カーマ・スートラ』(岩本裕/平凡社)

『世界大百科事典』(平凡社)

OpenStreetMap

(C)OpenStreetMap contributors

カージュラホ／小さな村に残る「性愛の芸術」

まちごとパブリッシングの旅行ガイド

Machigoto INDIA , Machigoto ASIA , Machigoto CHINA

マカオ-まちごとチャイナ

Juo-Mujin（電子書籍のみ）

自力旅游中国Tabisuru CHINA

まちごとパブリッシングの旅行ガイド

旅のインド文字

英語
ヒンディー語

カージュラホ
Khajuraho

खजुराहो

西群
Western Group

पश्चिमी समूह

カンダーリヤ・マハーデヴァ寺院
Kandariya Mandir

कंदरिया महादेव मंदिर

ヴィシュワナータ寺院
Vishwanatha Mandir

विश्वनाथ मंदिर

チトラグプタ寺院
Chitragupta Mandir

चित्रगुप्त मंदिर

ラクシュマナ寺院
Laksamana Mandir

लक्ष्मण मंदिर

マータンゲーシュヴァラ寺院
Matangeshwara Mandir

मतंगेश्वर मंदिर

チャウンサト・ヨギニ寺院
Chausath Yogini Mandir

चौसठ योगिनी मंदिर

博物館
Museum

संग्रहालय

東群
Eastern Group

पूर्वी समूह

パールシュヴァナータ寺院
Parshvanatha Mandir

पार्श्वनाथ मंदिर

アーディナータ寺院
Adinatha Mandir

आदिनाथ मंदिर

ガンタイ寺院
Ghantai Mandir

घंटाई मंदिर

ブラフマー寺院
Brahma mandir

ब्रह्मा मंदिर

ジャヴァーリー寺院
Javari Mandir

जावरी मंदिर

ヴァーマナ寺院
Vamana Mandir

वामन मंदिर

ドゥラーデオ寺院
Duladeo Mandir

दुल्हादेव मंदिर

チャトルブジャ寺院
Chatrubja Mandir

चतुर्भुज मंदिर

マディヤ・プラデーシュ州
Madhya Pradesh

मध्य प्रदेश

ボーパール
Bhopal

भोपाल

インドール
Indore

इंदौर

ウッジャイン
Ujjain

उज्जैन

グワリオール
Gwalior

ग्वालियर

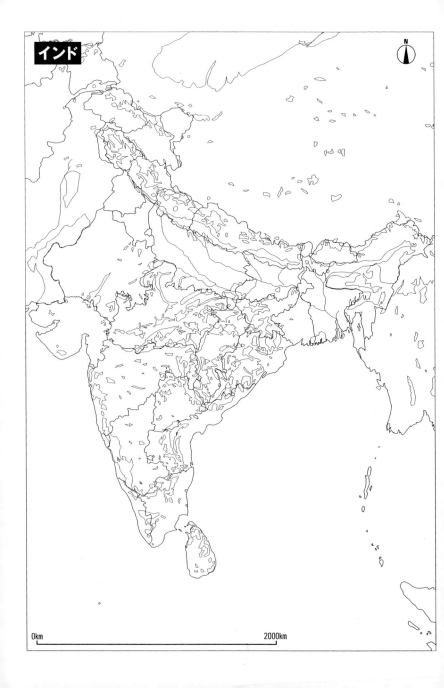

インド

N

0km   2000km

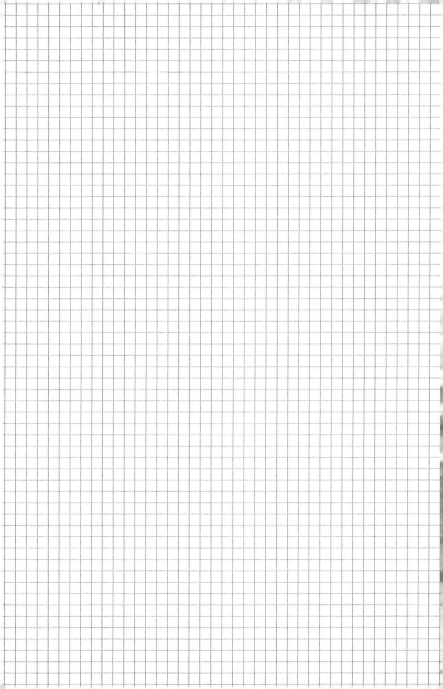

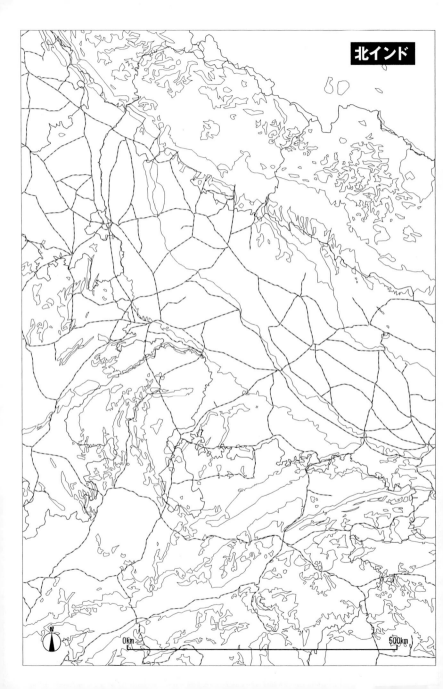

北インド

0km 500km

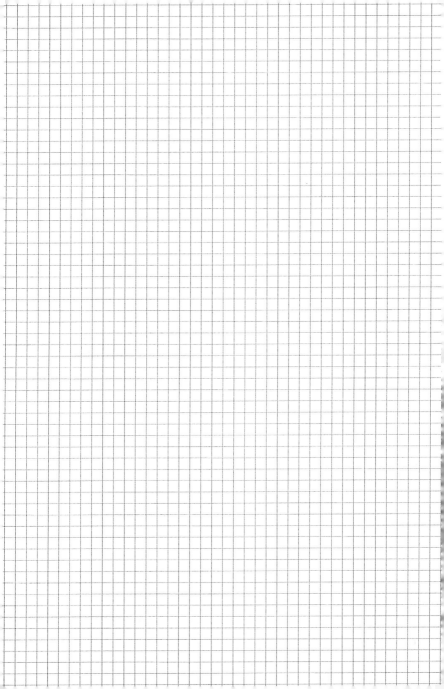

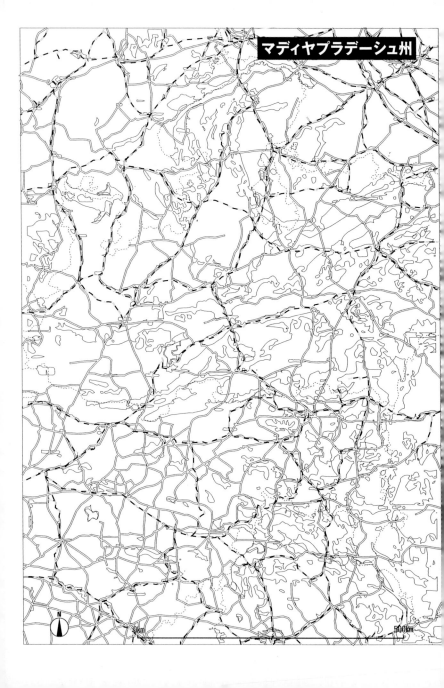

マディヤプラデーシュ州

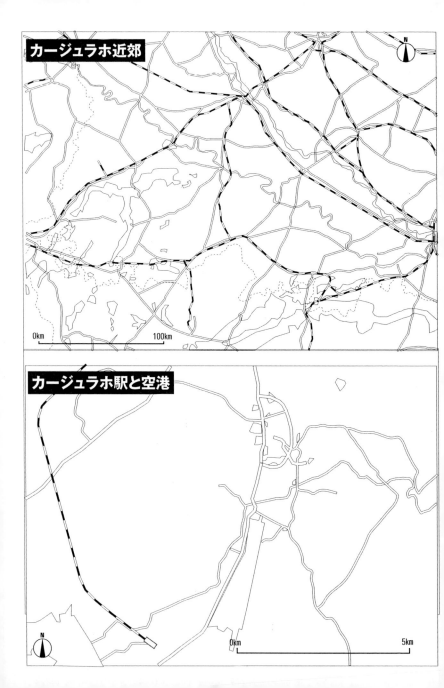

カージュラホ近郊

0km　　　　　　　　100km

N

カージュラホ駅と空港

N

0km　　　　　　　　5km

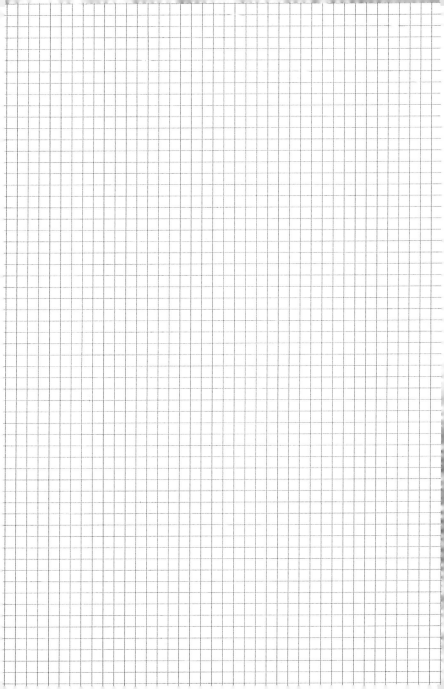

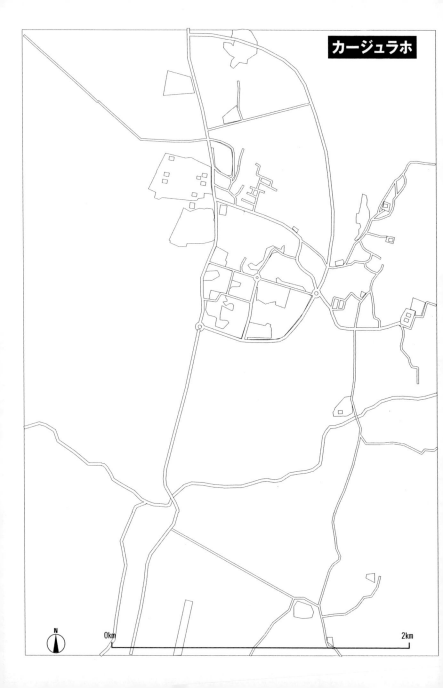

カージュラホ

N

0km   2km

カージュラホ西群

N

0m　　　　　　　　　　　　　　300m

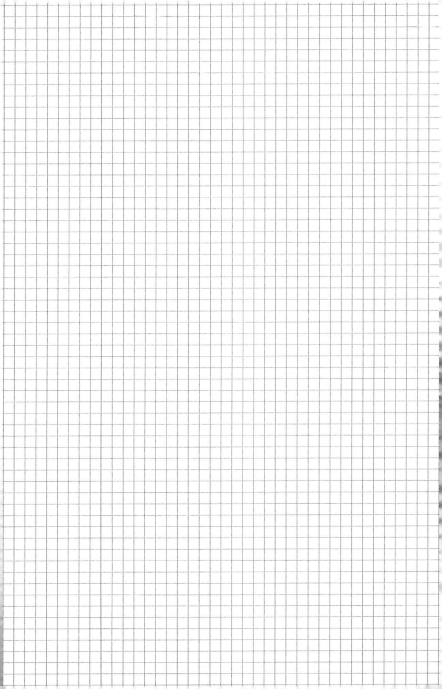

ヴィシュワナータ寺院

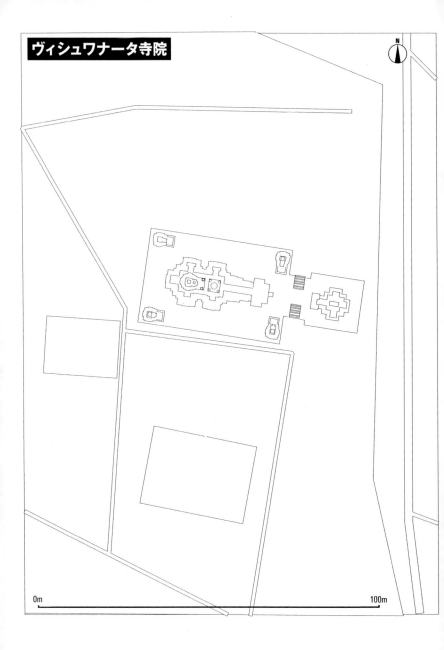

0m ———————————————————————————————— 100m

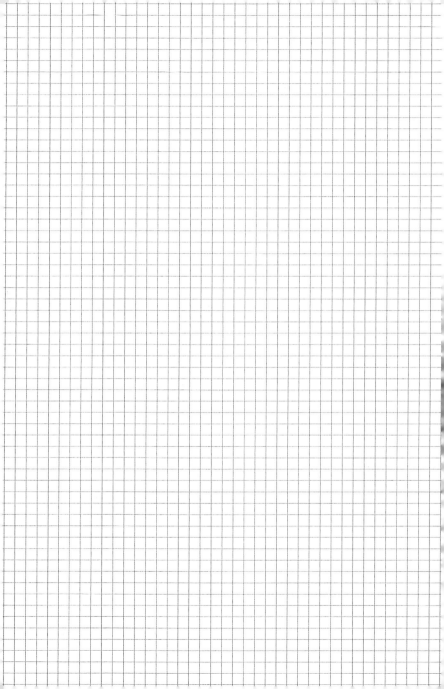

カージュラホ東群

N

0km   1km

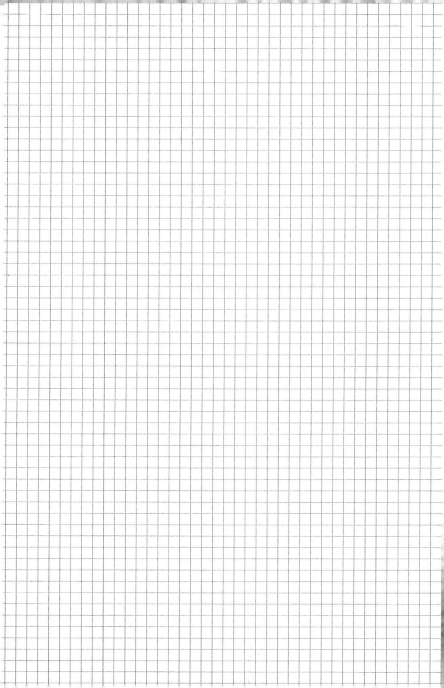

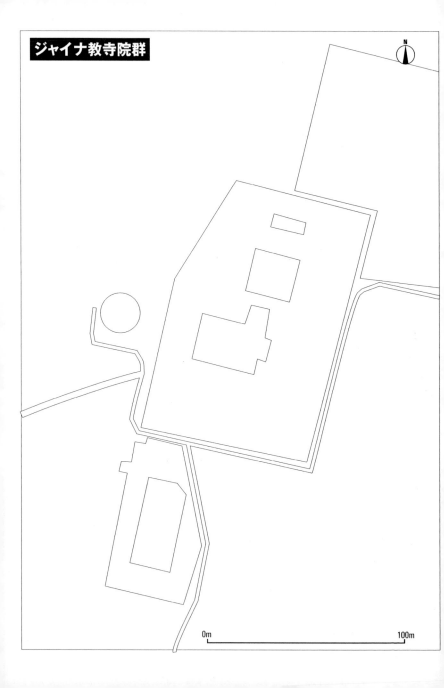

ジャイナ教寺院群

N

0m 100m

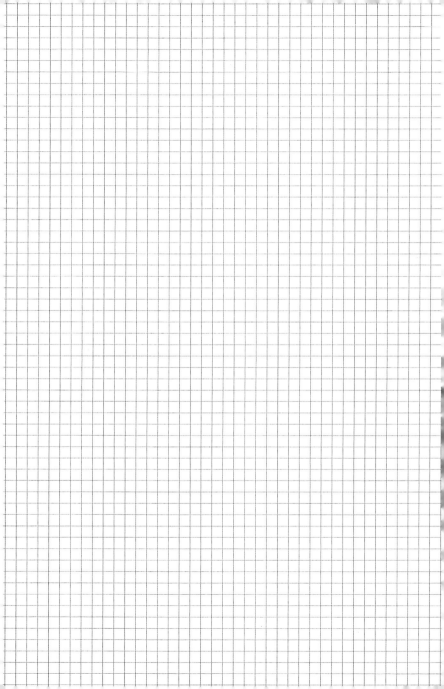

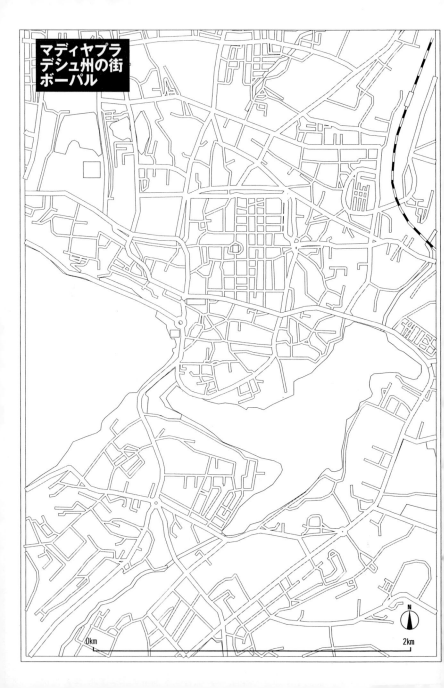

マディヤプラ
デシュ州の街
ボーパル

N

0km   2km

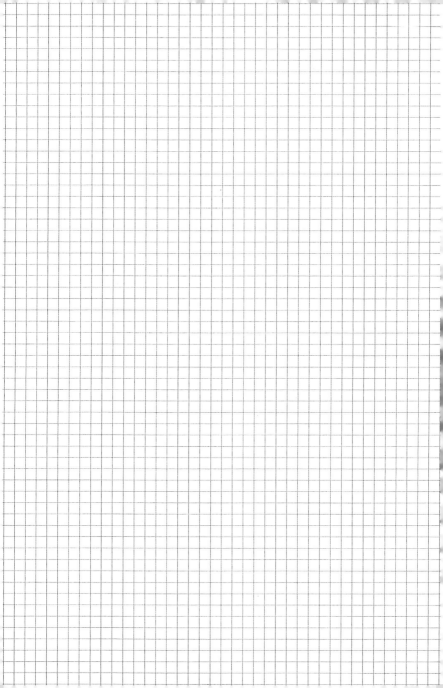

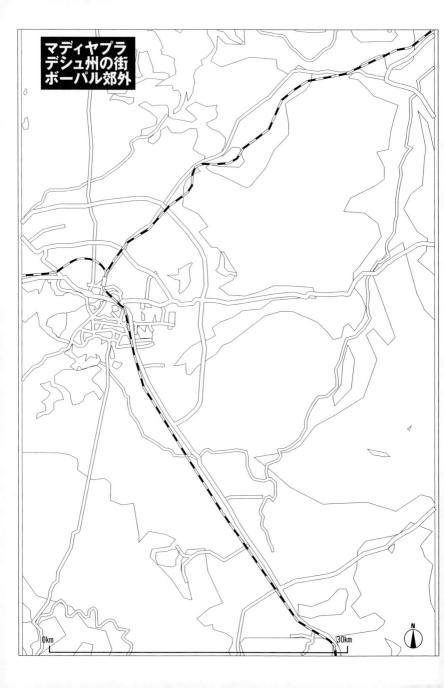

マディヤプラ
デシュ州の街
ボーパル郊外

0km　　　　　　　　　　　30km

N

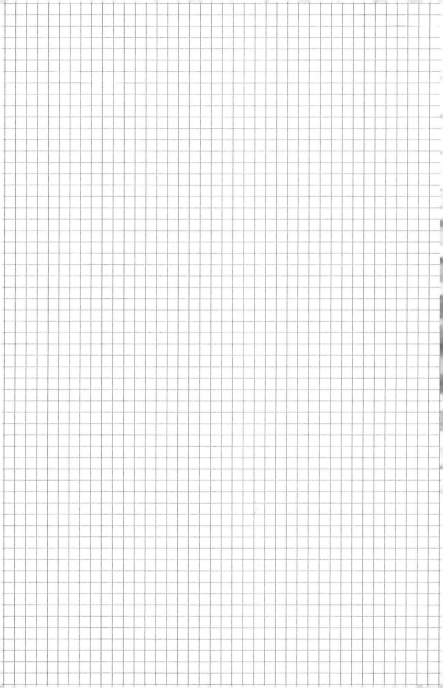

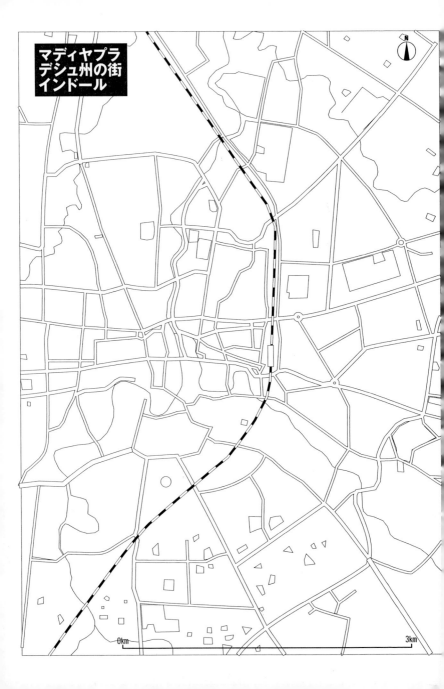

マディヤプラ
デシュ州の街
インドール

0km   3km

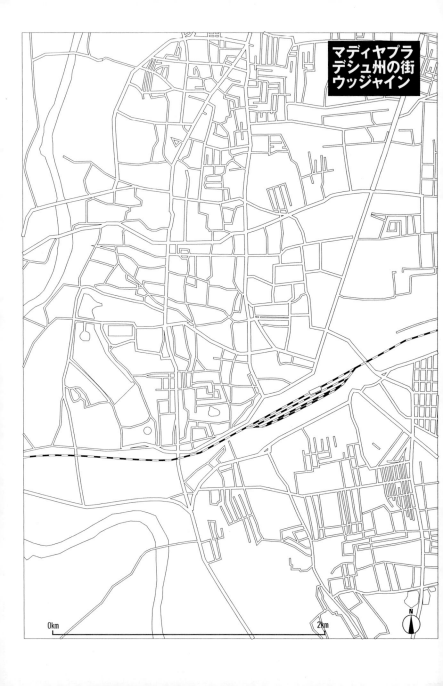

マディヤプラ
デシュ州の街
ウッジャイン

0km   2km

N

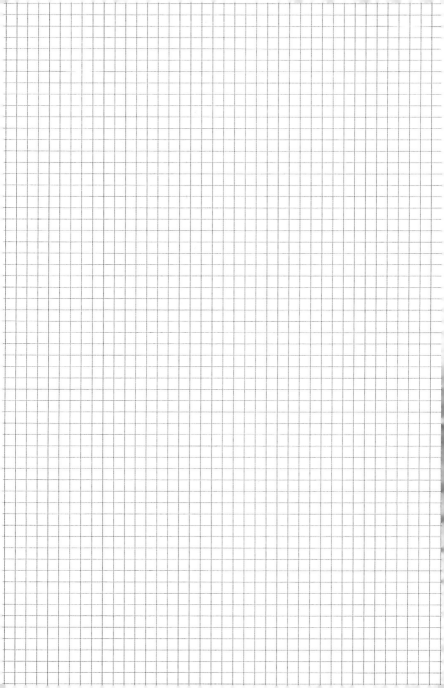

マディヤプラ
デシュ州の街
グワリオール

0km

2km

N

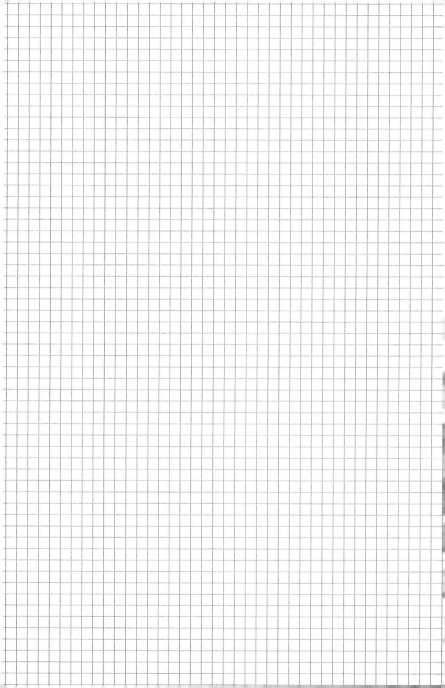

【車輪はつばさ】
南インドのアイラヴァテシュワラ寺院には
建築本体に車輪がついていて
寺院に乗った神さまが
人びとの想いを運ぶと言います

An amazing stone wheel of the Airavatesvara Temple
in the town of Darasuram, near Kumbakonam in the South India

まちごとインド
北インド 022

カージュラホ
小さな村に残る「性愛の芸術」
[モノクロノートブック版]

「アジア城市（まち）案内」制作委員会
まちごとパブリッシング
http://machigotopub.com

まちごとインド
新版 北インド022カージュラホ
〜小さな村に残る「性愛の芸術」

2020年 8月15日　発行

著　者　　「アジア城市（まち）案内」制作委員会
発行者　　赤松　耕次
発行所　　まちごとパブリッシング株式会社
　　　　　〒181-0013　東京都三鷹市下連雀4-4-36
　　　　　URL http://www.machigotopub.com/
発売元　　株式会社デジタルパブリッシングサービス
　　　　　〒162-0812　東京都新宿区西五軒町11-13
　　　　　清水ビル3F
印刷・製本　株式会社デジタルパブリッシングサービス
　　　　　URL http://www.d-pub.co.jp/

MP320

ISBN978-4-86143-472-3 C0326　　　　Printed in Japan